CW00393394

À John Bauer
C.G.

Petits Contes & Classiques

Les fées

Un conte de Charles Perrault, illustré par Charlotte Gastaut

Il était une fois une veuve qui vivait seule avec ses deux filles. La plus âgée lui ressemblait trait pour trait : comme elle, elle était laide, méchante et menteuse. La mère et la fille étaient d'ailleurs si mauvaises que tout le monde les évitait.

Au contraire, la plus jeune des sœurs n'était que douceur, gentillesse et grâce. Elle était belle comme le jour, aimable avec chacun et s'attachait toujours à faire plaisir à son prochain.

La mère adorait sa fille aînée ;
elle la gâtait et lui passait tous ses caprices.
À l'inverse, elle était très dure avec la cadette
qu'elle punissait sans raison
et qu'elle forçait à travailler toute la journée.

La pauvre fille devait ainsi
aller deux fois par jour chercher de l'eau
à une fontaine qui se trouvait loin de la maison.
Le chemin du retour était pénible
lorsqu'il lui fallait porter la cruche pleine.

Un jour qu'elle était à la fontaine en train de remplir son pot,
une très vieille femme s'approcha d'elle et la pria de lui donner à boire.
« Avec plaisir, madame », répondit la jeune fille en souriant.
Elle puisa aussitôt de l'eau et aida la vieille à boire à la cruche.

Après avoir bu, la femme lui dit :
« Tu es si belle, si bonne et si honnête que je veux t'offrir quelque chose en retour. Dorénavant, à chaque parole que tu prononceras, il sortira de ta bouche une fleur ou une pierre précieuse. »
Cette femme était en réalité une fée qui avait pris l'apparence d'une pauvre vieille pour mettre la gentillesse de la jeune fille à l'épreuve.

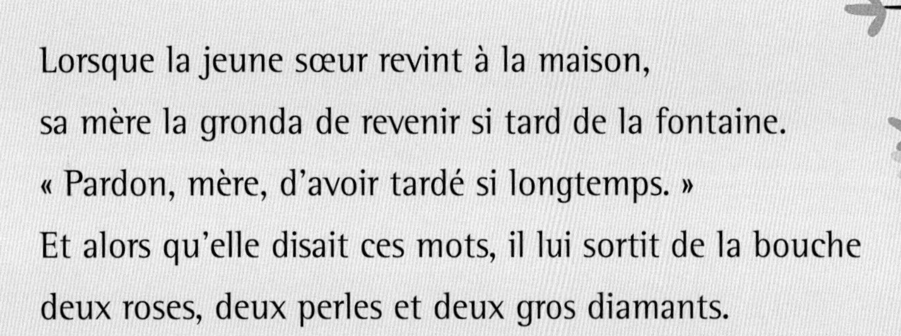

Lorsque la jeune sœur revint à la maison,
sa mère la gronda de revenir si tard de la fontaine.
« Pardon, mère, d'avoir tardé si longtemps. »
Et alors qu'elle disait ces mots, il lui sortit de la bouche
deux roses, deux perles et deux gros diamants.

« Que vois-je là ? s'exclama sa mère tout étonnée.
Je crois qu'il lui sort de la bouche des perles et des diamants !
D'où vient cela, ma fille ? »
C'était la première fois qu'elle l'appelait « ma fille ».
La pauvre enfant lui raconta naïvement ce qui lui était arrivé,
répandant sur le sol des centaines de pierres précieuses.

« C'est extraordinaire », dit la mère.

Et, se tournant vers l'aînée, elle ajouta : « As-tu vu ce qui sort de la bouche de ta sœur quand elle parle ? Il faut que tu fasses de même. Tu n'as qu'à te rendre à la fontaine, et lorsqu'une pauvre femme te demandera à boire, tu lui en donneras bien gentiment.

– Moi, aller à la fontaine ? s'indigna la méchante sœur. Certainement pas !

– Je t'ordonne d'y aller, reprit la mère, et immédiatement ! »

En disant ces mots, elle lui tendit le plus beau flacon d'argent qu'elle possédait.

Contrariée, la fille obéit, la mine sombre et le pas traînant.

Elle parvint à la fontaine de fort méchante humeur. À peine était-elle arrivée qu'elle vit sortir du bois une dame magnifiquement vêtue qui lui demanda à boire. C'était la même fée que celle qui était apparue à sa sœur, mais cette fois elle avait pris l'air et les habits d'une princesse.

« Mon beau flacon d'argent ne vous est pas destiné, gronda la fille d'un air mauvais. Vous n'avez qu'à boire directement à la fontaine.
– Vous n'êtes guère aimable, répondit la fée sans se mettre en colère. Eh bien, puisque vous êtes si peu serviable, à partir de maintenant, à chaque parole que vous direz, il vous sortira de la bouche un serpent ou un crapaud. »

Dès que la mère aperçut de loin sa fille sur le chemin,
l'air piteux et la coupe vide, elle s'écria, impatiente :
« Eh bien, ma fille, quelles sont les nouvelles ? »

« Hélas, ma mère... » balbutia la méchante fille. Tandis qu'elle prononçait ces mots, deux vipères et deux crapauds jaillirent de sa bouche.

« Ô ciel ! s'écria la mère. Que t'est-il arrivé ?
C'est certainement la faute de ta sœur
qui t'aura joué un vilain tour. Elle me le paiera. »
Et aussitôt elle pourchassa sa plus jeune fille
pour la frapper.

La pauvre enfant s'enfuit
et alla se réfugier dans la forêt.

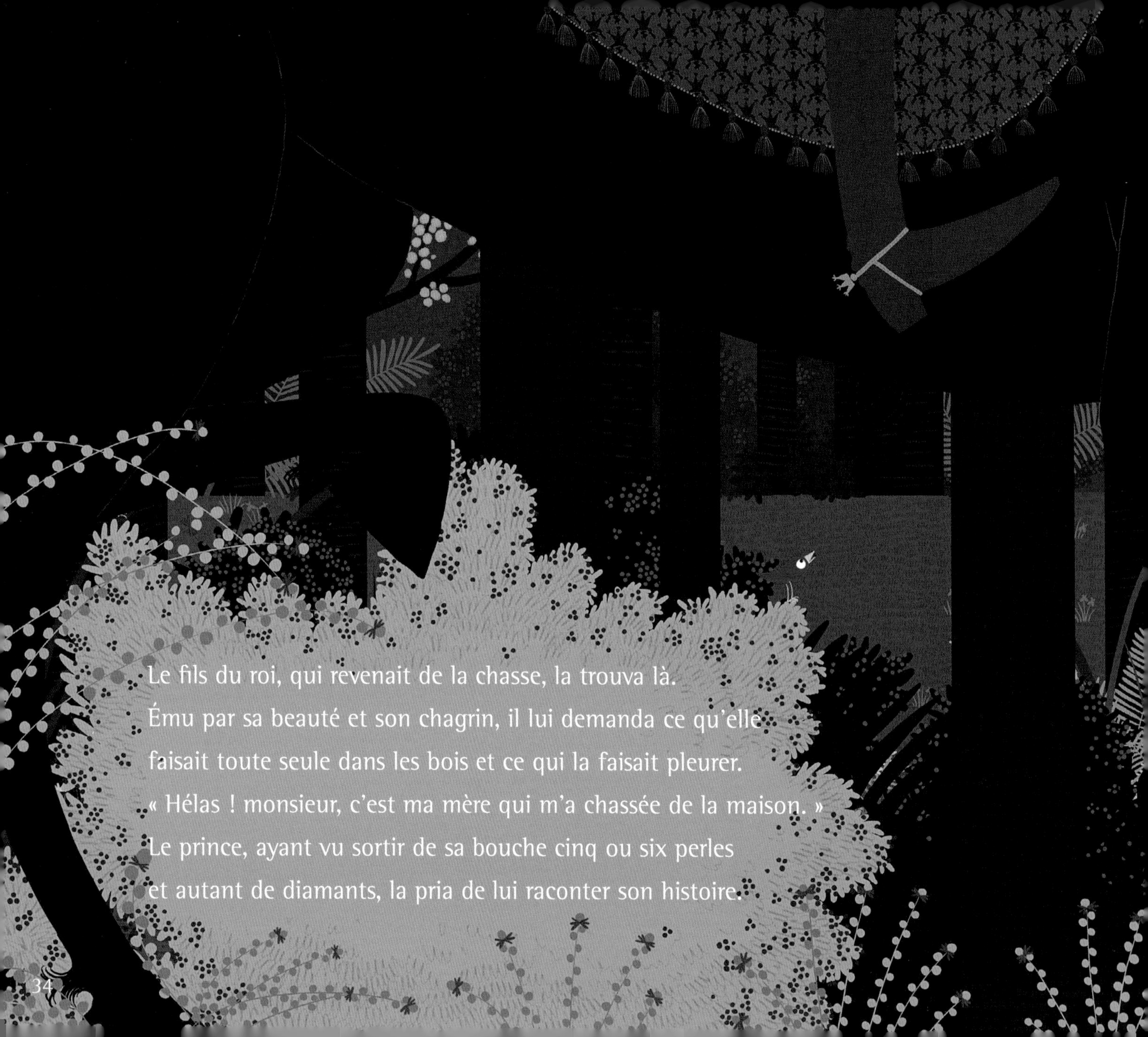

Le fils du roi, qui revenait de la chasse, la trouva là.
Ému par sa beauté et son chagrin, il lui demanda ce qu'elle faisait toute seule dans les bois et ce qui la faisait pleurer.
« Hélas ! monsieur, c'est ma mère qui m'a chassée de la maison. »
Le prince, ayant vu sortir de sa bouche cinq ou six perles et autant de diamants, la pria de lui raconter son histoire.

Après avoir écouté toute l'aventure,
le prince, charmé par la grâce
et la gentillesse de la jeune fille,
l'emmena dans son palais.

Ils ne tardèrent pas à tomber amoureux
l'un de l'autre et, quelques mois plus tard,
ils célébrèrent un somptueux mariage.

Quant à la sœur aînée, elle devint si méchante
et si insupportable à force de cracher des serpents
et des crapauds que même sa propre mère la chassa de chez elle.
Et la malheureuse, après avoir couru sans trouver
personne qui voulût la recevoir,
se réfugia au fond d'un bois
jusqu'à la fin de ses jours.

Petits Contes & Classiques • Albums souples

Ces titres existent en version cartonnée, grand format.
Retrouvez-les sur :
www.magnardjeunesse.fr

Les fées
Illustré par Charlotte Gastaut

Jacques et le haricot magique
Illustré par Mayalen Goust

Boucle d'or et les trois ours
Illustré par Xavière Devos

Le Tour du monde en 80 jours
Illustré par Cyril Farudja

Sindbad le marin
Illustré par Julie Mercier

Les trois petits cochons
Illustré par Éric Puybaret

Le loup et les 7 chevreaux
Illustré par Hervé Le Goff

Le petit chaperon rouge
Illustré par Frédérick Mansot

La belle et la bête
Illustré par Magali Fournier

Poucette
Illustré par Aline Bureau

Fables de La Fontaine
Illustrées par Rébecca Dautremer

Album de poésies
Illustré par Nouchka

Le chat botté
Illustré par Céline Puthier

La chèvre de monsieur Seguin
Illustré par Arnaud Madelénat

Heidi
Illustré par Nicolas Duffaut

Hansel et Gretel
Illustré par Élisabeth Pesé

Cendrillon
Illustré par Cathy Delanssay

Don Quichotte
Illustré par Gwen Kéraval

Peau d'âne
Illustré par MissClara

Le vilain petit canard
Illustré par Lucie Minne

Contes & Classiques du monde • Albums cartonnés, très grand format

Kiviuq et l'ours blanc
Un conte inuit, ill. Isabelle Chatellard

L'Enfant, le jaguar et le feu
Un mythe brésilien, ill. Aurélia Fronty

L'Échassier de l'Empereur
Un conte japonais, ill. Marie Caudry

La Cuillère d'Aminata
Un conte africain, ill. Cécile Arnicot

Le Bateau de papier
Un conte chinois, ill. Zhong Jie

Le pinceau magique
Un conte chinois, ill. Zhong Jie

Les Rois malhonnêtes
Un conte arménien, ill. Sébastien Pelon

Ivan et le Loup gris
Un conte russe, ill. Marie Desbons

Le Lézard de Pem Pem
Un conte d'Himalaya,
ill. Marie Desbons

Les Quatre Vœux
Deux contes indiens d'Amérique du Nord,
ill. Sandrine Bonini

www.magnardjeunesse.fr
5, allée de la 2e D.B. - 75726 PARIS 15 Cedex

Loi n° 49-956 du 16-07-1949 sur les publications destinées à la jeunesse.

Dépôt légal : Août 2010 - N° éditeur : 2016_0809
N° ISBN : 978-2-210-98719-7
Achevé d'imprimer en décembre 2016 par SEPEC - 09463161205